為什麼會有種族歧視與偏見？

# 世界中的孩子 ③

文 路易絲・史比爾斯布里
Louise Spilsbury

圖 漢娜尼・凱
Hanane Kai

譯 郭恩惠

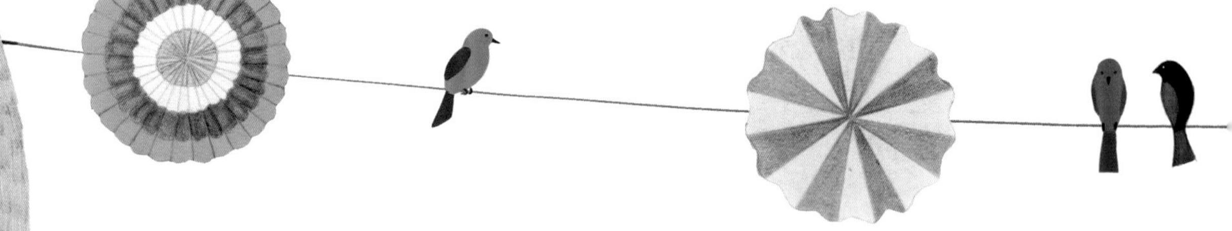

# 目錄



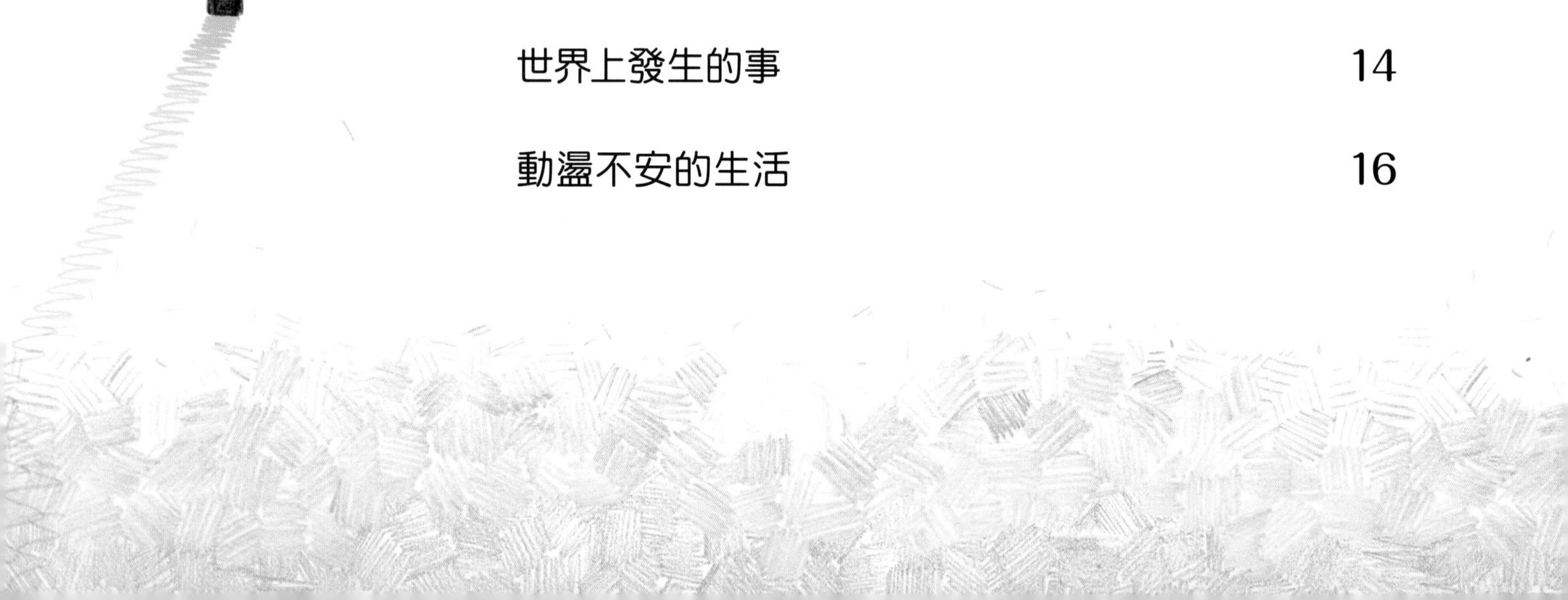

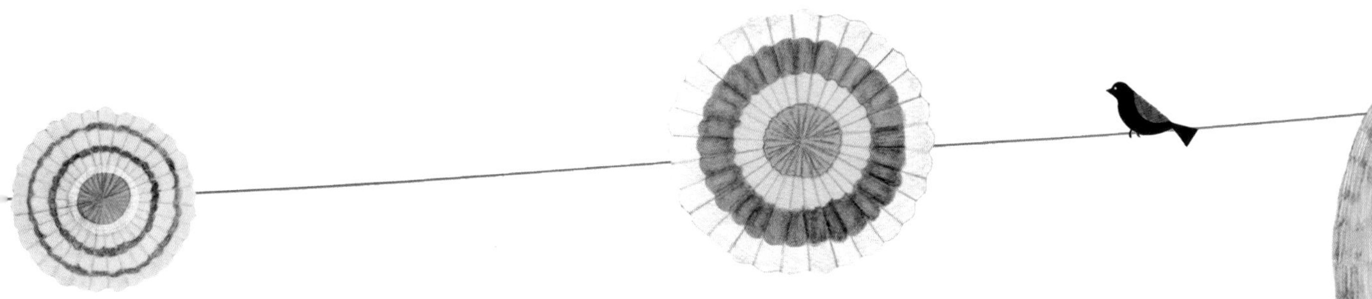

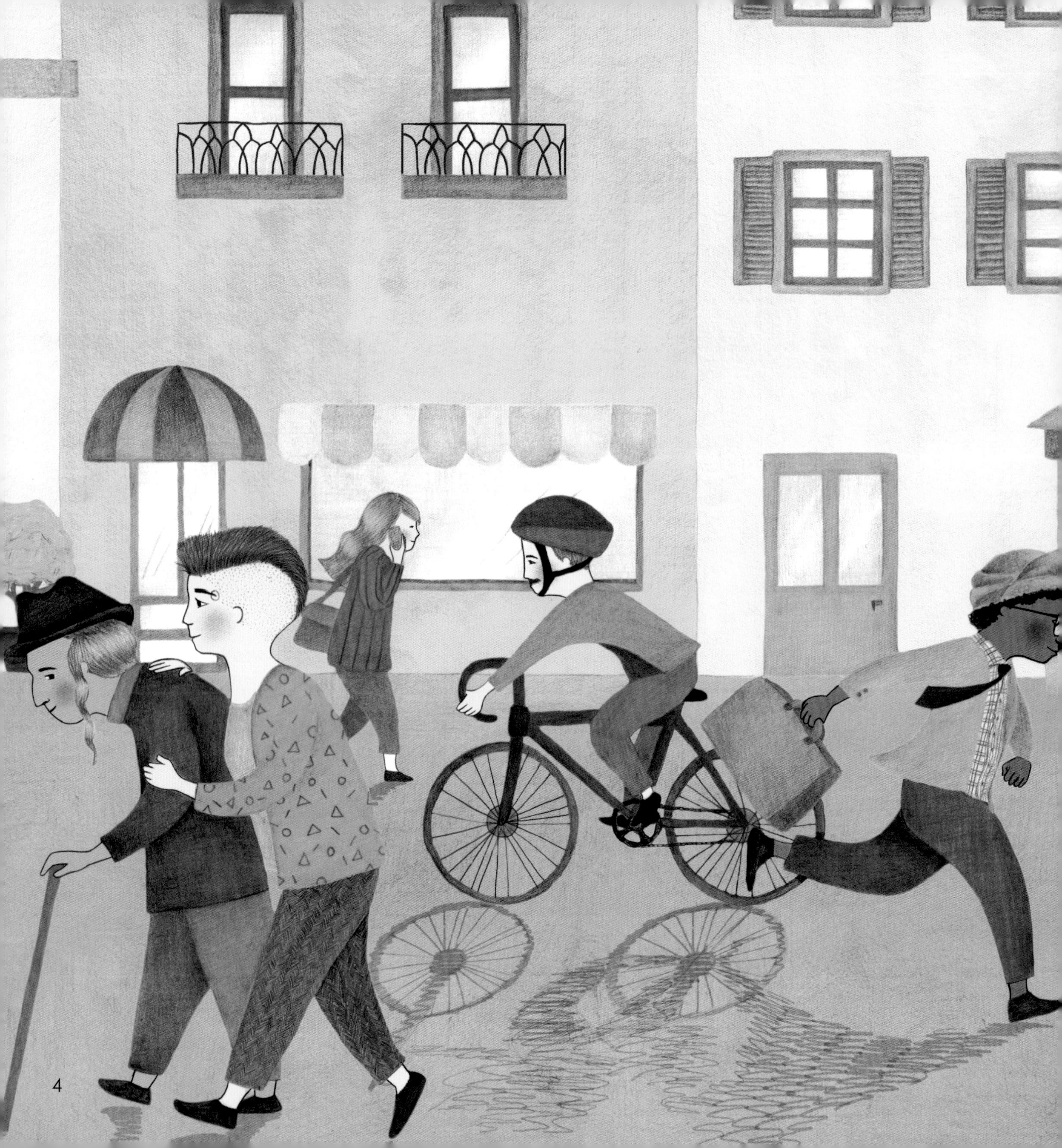

這個世界由各式各樣的人組成，每個人喜歡的食物不同，從事不同的運動，也有不同的嗜好。大多數的人和樂融融的生活在一起，彼此體諒、友愛，也互相尊重。

可是，有些人不一定會公平對待所有人。當他們遇到與自己不一樣的人時，可能會很不友善。

有時候，人們會因為膚色、家庭背景、所屬的國家，而受到不同的方式對待。這種情況稱為「種族主義」。

種族主義是一種偏見。偏見就是在還沒完全了解某些人時，就先不喜歡對方。想像一下，在你還沒跟一個人說過話，也還不認識他之前，就已經不喜歡他，這樣對他公平嗎？

有些人很不能忍受別人的生活方式跟他們不一樣。無法接受別人的家庭、出身、宗教或生活方式跟自己不同，這是一種不寬容的態度。

不寬容有很多形式，其中一種是批評別人信仰的宗教，或是以不公平的方式，對待信仰不同宗教的人。每個人都應該可以信奉自己選擇的信仰，不應該因此被討厭。

有時候，人們也會對外表或行為跟自己不同的人不太友善。即使你不認同某些人的想法或信念，你還是應該尊重別人的生活方式。

如果一群人當中，有個人做錯事或是做了不好的事，人們可能會開始對那群人產生偏見，認為他們都很壞。這麼想其實很不公平，因為事實並不是這樣。

學校裡，有些學生可能會嘲笑別人的宗教信仰，或者只因為對方說不同的語言、樣子看起來很不一樣，就為那個人取難聽的綽號，或不跟他玩。

因為種族或宗教信仰不同，而受到不一樣的方式對待，即不好玩也不公平。有些孩子會因此變得孤單、生氣、害怕；有些孩子則會因為心情太沮喪而沒辦法專心上課、不想上學，甚至還會生病。

有強烈種族主義傾向的人，或對人不寬容的人，可能會大聲斥責、威脅或是傷害其他族群。他們會在別人的家或敬拜神的地方噴漆，寫上不好的字眼，甚至丟炸彈炸毀建築物。

有些人只是因為某些族群的膚色或信仰不同，就限制他們不能住在特定地方，也不能做部分工作，不然就是付他們較少的薪水，還要求他們不能穿某些衣服。如果這些事發生在你身上，你會有什麼感受呢？

種族主義和不寬容的態度，會讓世界變成一個人們無法互相信任、互相尊重的地方。這兩種態度還會在人與人之間挑起不好的感受及仇恨，而這樣的仇恨可能會造成紛爭，並且引發戰爭。

有些人會因為自己所屬的種族或宗教而遭到殺害；有些家庭則被迫逃離家園，希望另外找到安全又和平的居住地。

世界各地都有許多人努力遏止種族主義思想及不寬容的態度。有些國家會訂定法律，防止人們找工作時被拒絕，或遭受不公平的待遇。

慈善組織是助人的團體。當人們受到種族主義或不寬容態度所帶來的不良影響時，有些慈善工作者就會幫助這群人，讓他們得到公平的對待。慈善工作者還努力向人們宣導種族主義及不寬容的態度是錯誤的，告訴大家這些行為會帶來哪些問題、造成什麼樣的傷害。

制定規則可以保障人們的安全。對於種族主義，學校都會制定嚴格的規定。在某些國家，學校會記錄校內發生的種族霸凌事件。如果有學生遭到不公平的待遇，或受到不寬容的態度對待時，老師就能依照步驟幫助他。

警察也會採取必要的行動，保護人們不會受到種族主義及不寬容態度的傷害。當有人辱罵或傷害他人時，警察會調查、呈報，甚至將那些人逮捕、關到監獄裡。

對人寬容就是尊重別人和自己不一樣的地方。你對於自己的外表或做事方式可能很習慣了，所以不認為自己跟別人有什麼不同，或是有任何奇特之處，但是我們每個人一定在某些方面是跟別人很不一樣的。

這些差異就是讓世界變得有趣的地方。如果學校裡有個人來自其他國家，你可以跟他聊聊那個國家的事。你也可以在某個節慶時，邀請他一起慶祝，或是去參加他過的節日活動，這樣可以對彼此的生活和信仰多一點了解。

其實，人與人之間的相似點多過於不同之處。我們都需要食物、水、衣服及居住的家；都需要學習、工作，過開心的生活。我們都會笑、會哭，都喜歡和家人、朋友共度美好時光；我們也都需要自由及安全。

當你認識新朋友時，試著找出你們的共同點，同時尊重彼此不一樣的地方。例如學校教的科目中，你們喜歡的科目一樣嗎？你們有共同喜歡的音樂、笑話、遊戲或電影嗎？找到彼此間的共同點是件很開心的事喔。

種族主義與不寬容的態度，會讓許多人心裡憤憤不平。如果你為這樣的事情感到擔憂或難過，可以跟父母或你信任的大人聊聊，他們會想辦法讓你心情好一些。如果你因為自己的種族、文化或信仰被人欺負，要立刻告訴身邊的大人。

種族主義及不寬容的態度，是不對又不公平的。但是記住，在各個種族和宗教中，有許多人正在努力改善這樣的狀況。而這個世界大多數的人，都擁有寬容的心胸和愛心。

世界文化日

如果你看到某些人因為他們的種族或文化，遭受到不好或不公平的對待，請先幫忙確認他們是不是安好，然後將這樣的事，告訴你信任的大人。

你還可以多盡一份心力，例如拍賣你的舊玩具或舉辦表演，為防止種族歧視及不寬容行為的慈善團體募款。當學校老師籌辦世界文化日時，你也可以主動當老師的小幫手。如果大家多了解其他國家的文化和宗教，就有助於改善對待他人的態度。

## 學一學本書中的相關用詞

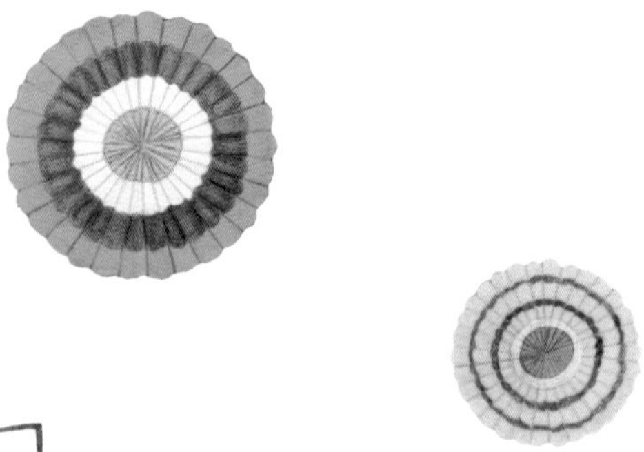

**不寬容 intolerance**

拒絕接納某些不同的觀點、信念或行為。

**宗教 religion**

對神的信仰，例如伊斯蘭教或基督教。

**文化 culture**

特定族群共有的信念、價值觀、行為模式、節慶等。

**寬容 tolerance**

接納不同觀點、生活方式或信念的能力。

**尊重 respect**

重視他人的感受及意見。

**敬拜 worship**

以某些行為向神表示敬意，例如禱告、做禮拜。

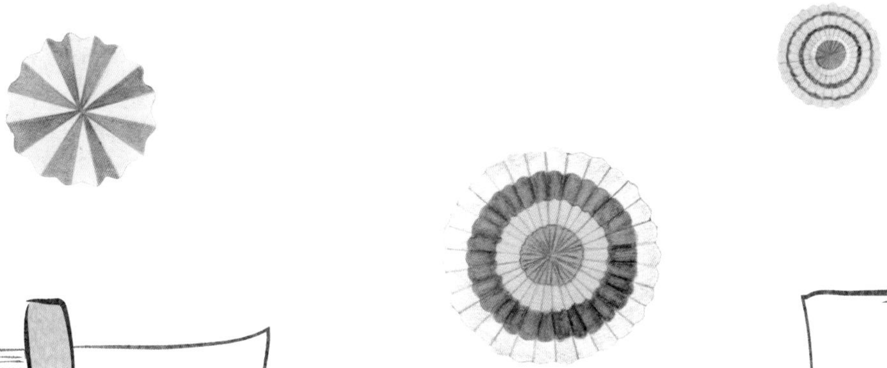

**偏見** prejudice

只因某人或某個群體所屬的種族、宗教、團體不同就不喜歡對方。

**種族** race

來自同一個地方、擁有同樣語言、在外貌上有共同特徵的一群人。

**法律** laws

國民必須遵守的規則。

**慈善組織** charity

從事救濟的團體，幫助需要的人。

# 本系列與中小學國際教育能力指標對應表

本系列扣合「中小學國際教育能力指標」之學習目標，期待透過這套書的文字及圖畫，孩子、家長及教師能一同探討世界上發生的重大議題，進而引發孩子關懷的心，讓他們在往後的人生道路中，能夠時時關心這個世界並付出己力。

備註：表格中以色塊代表哪一繪本，並於其中標註頁數

為什麼會有貧窮與飢餓？ 為什麼會有難民與移民？ 為什麼會有種族歧視與偏見？ 為什麼會有國際衝突？

### 中小學國際教育能力指標（基礎能力）

| 目標層面 | 能力指標編碼與學習內容 | 本系列相應內容 |
|---|---|---|
| 國際素養 | 2-1-1 認識全球重要議題 | 貧窮與飢餓 P4-17 難民與移民 P4-19<br>種族歧視 P6-7 偏見與不寬容 P8-11<br>國際衝突 P4-15 |
| 全球責任感 | 4-1-2 瞭解並體會國際弱勢者的現象與處境 | 貧窮與飢餓的處境 P6-17<br>難民與移民的現況 P4-19<br>偏見的影響 P12-17<br>國際衝突的後果 P12-15 |

### 中小學國際教育能力指標（中階能力）

| 目標層面 | 能力指標編碼與學習內容 | 本系列相應內容 |
|---|---|---|
| 國際素養 | 2-2-2 尊重與欣賞世界不同文化的價值 | 尊重不同點 P22-23 |
| 全球競合力 | 3-2-3 察覺偏見與歧視對全球競合之影響 | 偏見對全球競合力的影響 P12-17<br>衝突對全球競合力的影響 P12-17 |
| 全球責任感 | 4-2-2 尊重與維護不同文化群體的人權與尊嚴 | 人權與尊嚴的維護 P20-25 P18-25<br>P16-25 |

### 中小學國際教育能力指標（高階能力）

| 目標層面 | 能力指標編碼與學習內容 | 本系列相應內容 |
|---|---|---|
| 國際素養 | 2-3-1 具備探究全球議題之關連性的能力 | 全球議題的連動性 P4-17 P4-19<br>P4-17 P4-15 |
| 全球責任感 | 4-3-1 辨識維護世界和平與國際正義的方法 | 安全與和平的維護 P18-25 P20-25<br>P18-21 P4-15 |

知識繪本館

為什麼會有種族歧視與偏見？

# 世界中的孩子3

作者｜路易絲・史比爾斯布里 Louise Spilsbury
繪者｜漢娜尼・凱 Hanane Kai
譯者｜郭恩惠
責任編輯｜張玉蓉
特約編輯｜洪翠薇
美術設計｜蕭雅慧
行銷企劃｜陳詩茵、劉盈萱

天下雜誌群創辦人｜殷允芃
董事長兼執行長｜何琦瑜
媒體暨產品事業群
總經理｜游玉雪
副總經理｜林彥傑
總編輯｜林欣靜
行銷總監｜林育菁
主編｜楊琇珊
版權主任｜何晨瑋、黃微真

出版者｜親子天下股份有限公司
地址｜台北市104建國北路一段96號4樓
電話｜（02）2509-2800　傳真｜（02）2509-2462
網址｜www.parenting.com.tw
讀者服務專線｜（02）2662-0332　週一～週五 09:00~17:30
讀者服務傳真｜（02）2662-6048
客服信箱｜parenting@cw.com.tw
法律顧問｜台英國際商務法律事務所・羅明通律師
製版印刷｜中原造像股份有限公司
總經銷｜大和圖書有限公司　電話：（02）8990-2588

出版日期｜2018年4月第一版第一次印行
2024年4月第一版第十六次印行
定價｜300元
書號｜BKKKC090P
ISBN｜978-957-9095-54-9（精裝）

訂購服務
親子天下Shopping｜shopping.parenting.com.tw
海外・大量訂購｜parenting@cw.com.tw
書香花園｜台北市建國北路二段6巷11號　電話｜（02）2506-1635
劃撥帳號｜50331356 親子天下股份有限公司

立即購買 >
親子天下 Shopping
有聲故事書